Este libro ha sido elaborado según el plan del Editor y bajo su respon-
sabilidad con la colaboración de su grupo de Asesoría Didáctica.

JORGE LUIS OSORIO QUIJANO
Director de Ediciones de Susaeta - Colombia

Nacho

LIBRO INICIAL DE LECTURA

Pertenece a: ....

I - N - 97

3.000

Educamos sin fronteras

susaeta
ediciones & cía. ltda.

COLOMBIA
Calle 50 Sur No. 46A-6, Envigado (Ant.)
Conmutador: 288 44 22 - Fax: 288 14 72
Apartados Aéreos: 1742 y 5962
MEDELLÍN - COLOMBIA

COSTA RICA
DISTRIBUIDORA ESCOLAR
CENTROAMERICANA. S.A. "DECASA"
Zona Industrial Pavas
200 m Este del edificio oficinas de Pizza Hut - Pavas
Teléfonos: 231 63 48 - 231 67 18
Fax: 232 24 54 Apartado 726. Centro Colón
SAN JOSE - COSTA RICA

VENEZUELA
EDICIONES EDINOVA S.A.
Avenida Casanova (dos cuadras
adelante de Meliá Caracas).
Calle Coromoto al final, Quinta Marta.
Teléfono (Fax) 952 75 41
Sabana Grande - Urbanización Bello Monte
CARACAS - VENEZUELA

ECUADOR
EDITORIAL SUSAETA. S.A.
Avenida Amazonas entre Robles y Roca
Edificio Banco de los Andes Oficina 413
Teléfonos: 47 04 27 - 47 04 28
Fax: 47 46 75 Casilla 6301 C.C.I.
QUITO - ECUADOR

PANAMA
EDITORA ESCOLAR. S.A. "EDIESCO"
Vía Domingo Diaz (Vía Tocumen) 200 metros
antes de la entrada de Cerro Viento
Teléfono: 20 08 33 Fax: 20 45 61
Apartado 6-1496 El Dorado
PANAMA - REP. DE PANAMA

MEXICO
EDICIONES SUROMEX, S.A.
C/ Gral. Francisco Murguía, 7
Colonia Hipódromo de la Condesa
Delegación Cuauhtemoc 06170
Teléfono: 277 07 44 Fax: 271 04 70
MEXICO, D.F. - MEXICO

REPUBLICA DOMINICANA
SUSAETA EDICIONES DOMINICANAS. C.A.
EmilianoTejera 109 Arz. Meriño
Teléfonos: 688 01 71 - 530 03 02
Fax: 682 05 84 Apartado Postal 313 Zona 1
SANTO DOMINGO - REP. DOMINICANA

NOTAS DIDACTICAS

Susaeta Ediciones presenta con orgullo al cuerpo docente el *NUEVO SILABARIO NACHO* segura como está de facilitarles con él un valioso auxiliar en la hermosa labor de iniciar al niño en el maravilloso camino de la cultura.

Las páginas iniciales tienen como objetivo un aprestamiento de la escritura. En ellas el niño traza las líneas fundamentales que empleará en la escritura, desarrollando así su sicomotricidad.

Las vocales se han visualizado felizmente, de tal manera que el alumno asocie el objeto conocido con la forma de la vocal.

Presentamos al niño la palabra normal motivo de aprendizaje, lo conducimos mediante el análisis a identificar la sílaba y continuando la dinámica del proceso llega a la oración, donde reconoce y emplea los conocimientos adquiridos.

Se ha utilizado la letra script por su simplicidad de rasgos y fácil visualización.

Hemos utilizado el recurso de destacar con colores vivos a fin de centrar la atención y lograr así una mejor visualización. En ningún caso debe entenderse este recurso didáctico como silabeo o deletreo.

Teniendo en cuenta la simultaneidad que deben presentar el aprendizaje de la lectura y la escritura, el Silabario NACHO da lugar al alumno para que lea y escriba dando así validez a este principio pedagógico.

A través de sus páginas el Silabario NACHO presenta las dificultades graduadas; de esta manera los alumnos van salvando obstáculos, afianzándose, adquiriendo seguridad, logrando así un agradable y fructífero aprendizaje.

Las ilustraciones adecuadas y llenas de colorido, se presentan a las mentes infantiles, despertando su interés, constituyendo así un valioso recurso de motivación, lo cual hace más fácil el proceso enseñanza-aprendizaje.

Impreso en la Industria Gráfica de
SUSAETA EDICIONES
Calle 50 Sur No.46A – 6, Envigado(Ant.)
Conmutador: 288 44 22. Fax: 288 14 72
Apartados Aéreos 1742 y 5962 - Medellín

Medellín - Colombia

PRINTED IN COLOMBIA

Reimpresión Mayo de 1996

Reimpresión Marzo de 1997
Cantidad 3.000

ISBN libro 958-07-0042-7
ISBN serie 958-07-0041-9

anillo

aro

araña

elefante

enano

escoba

iglesia

isla

imán

ojo

olla

oso

uña

uva

uno

3

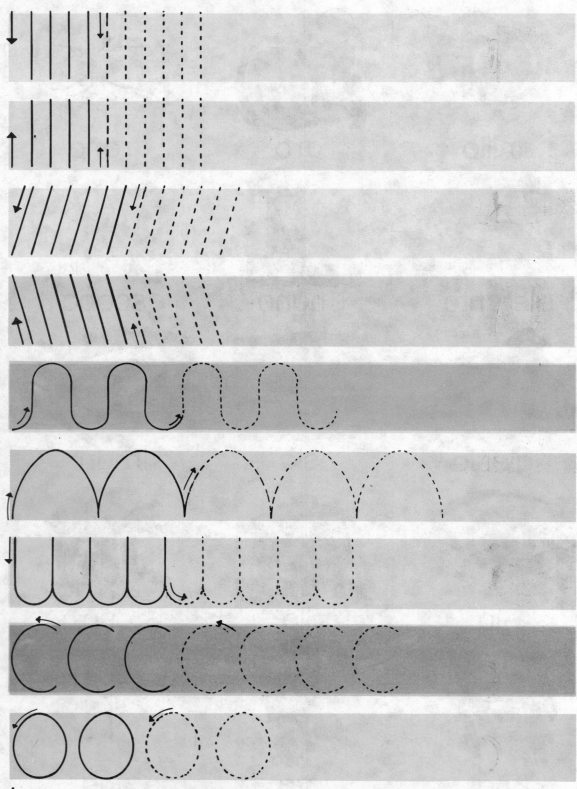

4

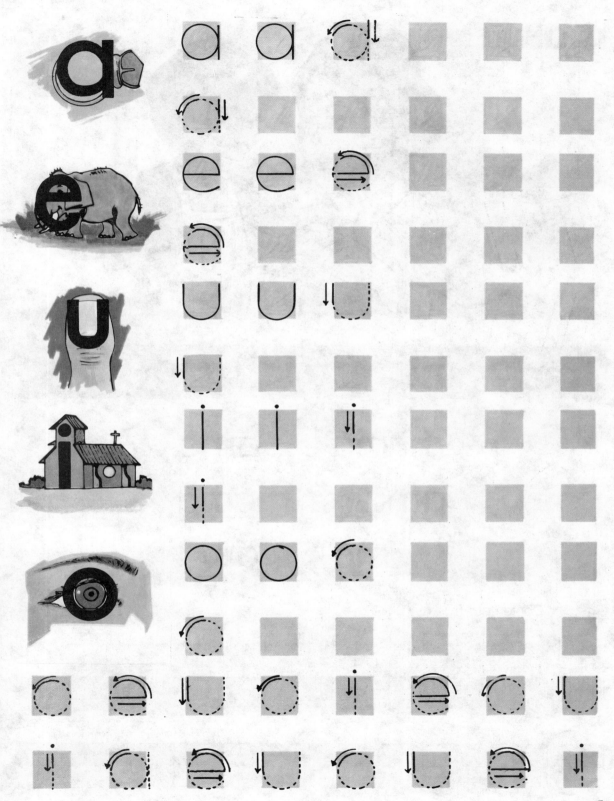

mamá

ma	me	mi	mo	mu

mamá   amo

ama   mamá

mamá   ama

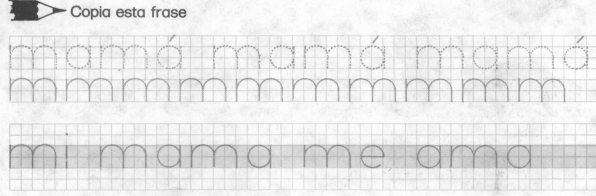

Copia esta frase

mamá mamá mamá
m m m m m m m m

mi mama me ama

6

mi mamá me ama.

amo a mi mamá.

mimo a mamá.

mi mamá me mima.

mi mamá:
me mima,
me ama.

papá

pa	pu	pi	po	pe

pa**pá**	**po**mo	**ma**pa
pi**pa**	pa**pá**	pi**pa**
pomo	**pu**ma	pa**pá**
puma	pi**pa**	**pu**ma

Copia esta frase

papá pipa pomo

amo a mi papá

8

pipa   puma   mapa

mi papá me mima.
mi papá me ama.

mi mamá ama a papá.

amo a papá.

mimo a mamá,
amo a papá.

sapo

sa	si	su	se	so

sapo	mesa	oso
sopa	misa	sapo
suma	masa	pesa
sapo	piso	suma
suma	mesa	masa

Copia esta frase

mi oso se asoma

10

suma   oso   mesa

mi oso se asoma.

esa mesa si pesa.
ese oso pisa mi masa.

mi mamá asa esa masa.
mamá puso mi sopa.

papá pasa mi
mesa paso a
paso.

loma

| lo | le | li | lu | la |

loma	sala	paloma
lima	lupa	mula
palo	pule	alelí
lomo	pala	ala

✏ Copia esta frase

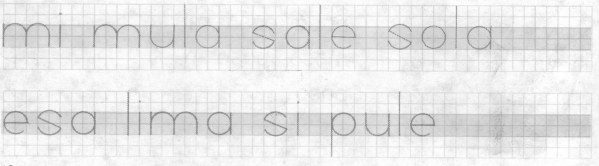

mi mula sale sola

esa lima si pule

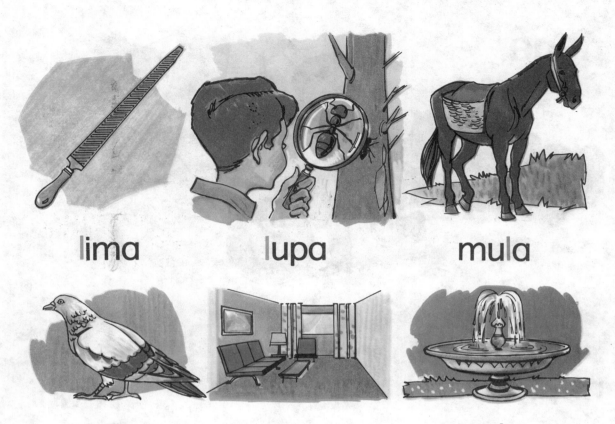

lima   lupa   mula

paloma   sala   pila

mi mula pasa la loma.

mi mamá sale a la pila.

esa lima si pule.

papá pela ese palo.

mi paloma sale
sola a la loma.

nene

ne	ni	na	nu	no

nena	pino	maní
nulo	mano	pepino
pena	mina	enano
luna	molino	lana

 Copia esta frase

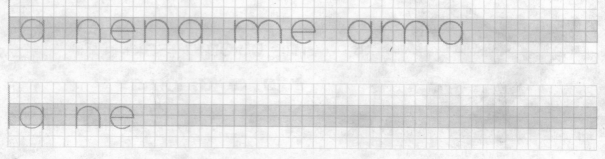

a nena me ama

a ne

14

mono   luna   pino

esa nena me anima.
la mona lame mi mano.
mi mamá mima a su nene.
mi papá no se apena.

ese enano
malo no me
anima, ni sana
mi mano.

tomate

to	ti	ta	te	tu

to	ta	tu
tomate	moto	pelota
tela	mata	pato
tina	pito	maleta
tapa	nata	tuna

Copia esta frase

mi nene toma sopa

mi n

16

mata   pelota   pato

maleta   moto   tela

tu nena tapa la tina.
mi nene toma su sopa.
mi pato no teme a ese mono.
su moto si pita.

mamita, mamita,
ese pato, me
pisa la tela.

dado

da	di	do	du	de

dama seda todo nada

duda mudo pomada soda

dime lado moneda pide

Copia esta frase

a dama me anima

a d

18

dedo   nudo   nido

mi papá pide su soda.

esa pomada sana mi dedo.

tu pato nada de lado.

la paloma tapa su nido.

esa dama me saluda.

mi papá suda
si usa su pala
toda la semana.

toro

ro	re	ra	ru	ri

toro	salero	mora
muro	mariposa	torero
arena	madera	pera
loro	arete	marino

Copia esta frase

ese toro me mira

ese t

20

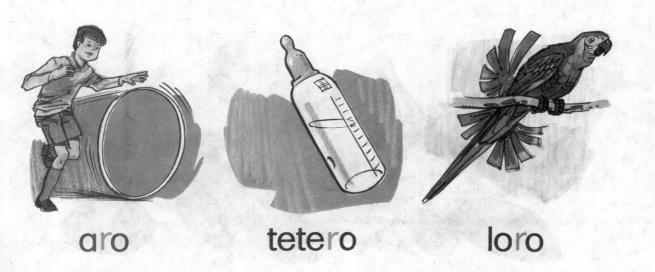

aro   tetero   loro

ese toro me mira.

mi nena toma tetero.

dame una pera madura.

la mesa era de madera dura.

Mi torito sale
a la arena, no
teme a ese
torero.

rosa

ro	ri	re	ru	ra

rosa   rata   perro

rana   roto   torre

remo   ruleta   risa

ropa   rama

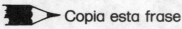 Copia esta frase

me da risa esa rana

me d

rana   perro   rata

torre   remo   ropa

dale ese ramo a mamá.

ese perro sale de su perrera.

mi papá rema rápido.

me dá risa esa rana.

Corre perrito,

saluda a tu amo.

casa

ca	co	cu

casa	copa	pico
cono	camisa	saco
cuna	corona	loco
cara	capa	rico

 Copia esta frase

cose mi camisa rota

carro   copa   cuna

cono   camisa   carreta

la mula tira de la carreta.
mi mamá cose mi camisa rota.
tu perro corre a mi lado.
dame ese caramelo de coco.
ese médico cura mi cara.

Mi lorito me remeda,
me pide rico cacao,
me da su patica
cada ratico.

niña

ña	ñi	ñu	ñe	ño

niña   moño   señora

niño   paño   mañana

uña   leña   piña

año   caña   muñeca

Copia esta frase

mañana comeré piña

26

muñeca   araña   puño

mira mi saco de paño.

la araña corre a la rama.

la niña adora a su muñeca.

no dañe mi moño de seda.

mañana comeré piña.

Esa señora pone
su moño a mi
muñeca cada
mañana.

vaca

va	vu	ve	vo	vi

vaca	pavo	vara
vino	nave	venado
vaso	uva	vida
vela	avena	verano

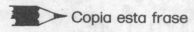 Copia esta frase

a vela ilumina la sala

vela   uva   vino

la señorita visita mi casa.

mi mamá lava la ropa.

corre, pavito, come tu avena.

ese niño no toma vino.

la vela ilumina la sala.

Uva moradita,
uvita de verano,
dame tu vino,
anima mi vida.

burro

bu	**bo**	**be**	**bi**	**ba**
bala	nube			bota
boca	cubo			bate
bata	tabaco			baño
barro	lobo			bola

 Copia esta frase

mi burro no sabe

bota   lobo   bola

tabaco   bata   boca

mi burro no sabe nada.
una niña barre la basura.
ese bobito no come banano.
ese lobo dañó mi bata.

Sube, sube
a esa nube.
Sacude tu cola
de tela bonita.

31

gato

ga	go	gu

gato	soga	amigo
goma	lago	gotera
gusano	mago	laguna
garra		regalo

✏️ Copia esta frase

esa goma si pega

gusano   soga   lago

esa goma si pega.
mi burro bebe gota a gota.
tu amigo me regala su gato.
sube, agarra esa soga.
papá, mata ese gusano malo.

La gata golosa,
se sube a
la soga, derrama
mi goma.

yate

ya	yi	yo	yu	ye

yate	rayo	payaso
yuca	mayo	yola
yeso	raya	arroyo
yodo	ayuno	soya

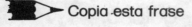 Copia esta frase

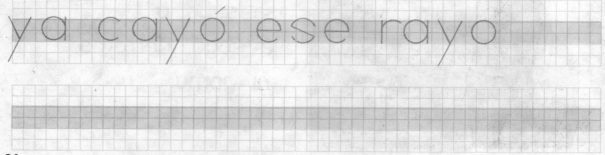

ya cayó ese rayo

yema   rayo   payaso

mi yoyo ya sube.

ese yate va a la laguna.

ya cayó ese rayo.

tu niño no raya la mesa.

Una semana de
Mayo yo ví ese
payaso y su
cara de yeso.

faro

fa	fi	fe	fu	fo

faro   foca   fuga

foco   café   sofá

fila   rifa   teléfono

✏️ Copia esta frase

se rifa una foca

36

foco   sofá   foca

oye, repica tu teléfono.

apaga ya ese foco.

ese sofá se ve bonito.

se rifa una foca.

papá afila su pala.

Saca tu cámara
fina y toma una
foto de ese faro
y de la foca.

hilo

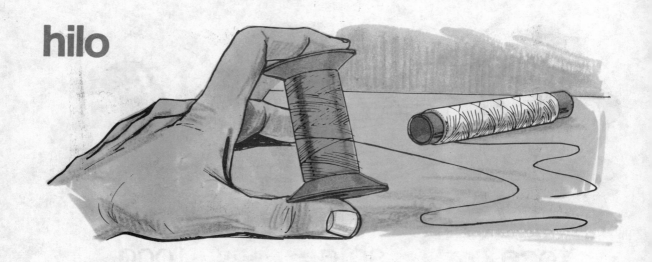

hi	ha	hu	ho	he

hilo	helado	hábito
humo	herida	higo
hora	hada	herradura
haba	hamaca	

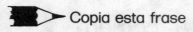 Copia esta frase

ahorra dinero ahora

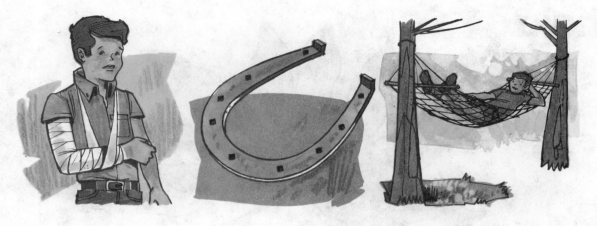

herido   herradura   hamaca

ya sanó mi herida.

Felipe rifa una hamaca de pita.

Hugo ayuda a ese herido.

ese helado sabe rico.

ahorra dinero ahora.

Ahora, mulita,
te coloco
la herradura y
sanará tu herida.

hoja

ja	ju	ji	jo	je

jarro   reja   navaja

jugo   paja   pájaro

jirafa   lujo   oveja

jefe   teja   oreja

joya   hijo   aguja

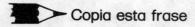 Copia esta frase

dibuja una jirafa

jarro   jirafa   jefe

ojo   navaja   pájaro

esa niña dibuja una jirafa.

bebe jugo de piña.

deja ese jarro de barro.

oveja dame tu lana, yo la tejeré.

Mira una casita
de teja roja y
reja de madera.

zorra

zo	zu	za

zorra	tiza	buzo
zapato	pozo	cabeza
zumo	loza	calabaza

 Copia esta frase

dame tu taza de loza

42

zapato   pozo   tiza

mi pozo se ha secado

José me regaló una taza de loza.

esa zona la ocupa Hugo

saca una tiza de la caja.

ese zapatero usa hilo y aguja.

Si la zorra pasa,
ese zapatero
la caza.

43

llave

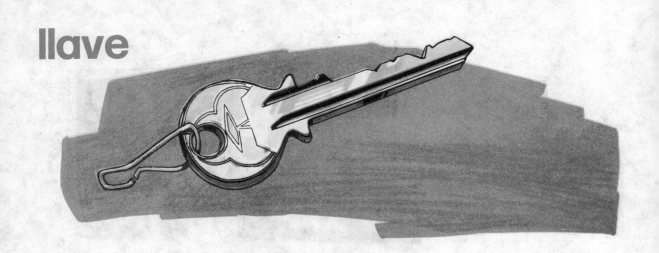

lla	llu	lli	lle	llo

llave	silla	gallina
llama	calle	capilla
llano	olla	ballena
	botella	anillo
	pollito	galleta

Copia esta frase

lleva la silla a la sala

44

o‖a   ga‖o   ca‖e

ani‖o   ba‖ena   si‖a

oye la bu‖a de la ca‖e.
ese pájaro ‖eva paja a su nido.
mamita, ‖ena mi jarro de zumo.
niño, dale tu si‖a a la señora.

La zorra mató a
mi gallo, la gallina
lo llora de acá
para allá.

guitarra

gui **gue**

gue**rra**   á**gui**la   gue**rrero**

guiso   si**gue**   ju**gue**te

guitarra   la**gui**to

Esa águila cazó a mi conejo.

Lleva tu guitarra a mi casa.

Guerrero, sigue a tu jefe.

Ya acabó la guerra.

cepillo

cocina

cebolla

ci	ce

cine	tocino	cereza
cena	cocina	cera
cigarro	doce	racimo
cebolla	cepillo	ceniza

Cocinero, dame la cena.

Ese guerrero fuma cigarro.

La cebolla no hace daño.

La abeja da cera.

47

choza

cho	chu	chi	che	cha

choza   noche   ocho

chivo   techo   coche

chorizo   hacha   chocolate

chaleco   lechuga   leche

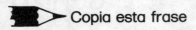 Copia esta frase

chinito come lechuga

48

chivo serrucho hacha

cuchara chorizo lechuza

la chiva da leche.

dame a la cena chorizo y chocolate.

muchacho, lleva esa paja a la choza.

una lechuza chilla de noche.

chinito, sigue camino a tu chocita.

Lunita juguetona,
asoma tu carita,
ilumina la noche,
mi choza, mi cosecha.

49

raqueta

queso

quijada

que **qui**

queso	chaqueta	líquido
quijada	máquina	paquete
queja	buque	pequeño

Si me da queso no me quejo.

Ese buque navega a toda máquina.

Toma mi chaqueta de lana.

Corre, se quema la choza.

gema

gitano

género

ge **gi**

gemelo	**pá**gina	**ge**ma
generoso	**gi**ra	**gi**tano

Joyero, coloca la gema a mi anillo.

No pase la página ligero.

Ese gitano dirige su carreta.

La hélice gira rápido.

Oye, chico, vigila mi pequeño coche.

51

isla   escoba   castillo

es   os   is   as   us

escudo   bosque   máscara   manos

asma   pasto   pescado   lunes

escala   mosca   pasta   isla

estuche   susto   poste   pista

Me asusta esa máscara.
Este pescado está rico.
Coge la pasta que te guste.
Sigue la pista y busca la costa.

candado

mundo

manzana

an **in** **on** **un** **en**

banco   cinco   ventana   cinta

tinta   lanza   patín   ratón

santo   menta   manzana   capitán

bandera   mundo   botón   naranja

Tengo una manzana roja y jugosa.
Ese capitán manda su batallón.
Cinco gemas valen mucho.
Genaro canta la ronda.

ardilla

circo

tortuga

ar	ur	ir	er	or

arpa	parque	collar	barco
gordo	circo	hermano	jardín
cerdo	curva	azúcar	hormiga

Esa hormiga carga su terrón de azúcar.

Ese parque está verde y hermoso.

Perdí mi collar en tu jardín.

Ese barco lleva una carga de café.

Mi cerdo no está gordo porque no come.

54

rueda

violín

jaula

cai**mán**	hue**vo**	cau**cho**	**pa**tio
paila	cue**llo**	**au**to	**ra**dio
aire	fue**go**	sua**ve**	**in**dio

Me gusta desayunar con huevo.

Cuidado con ese hueco.

Ese indio cazó un caimán.

Tu canario se escapó de la jaula.

Quita la paila, abuelita.

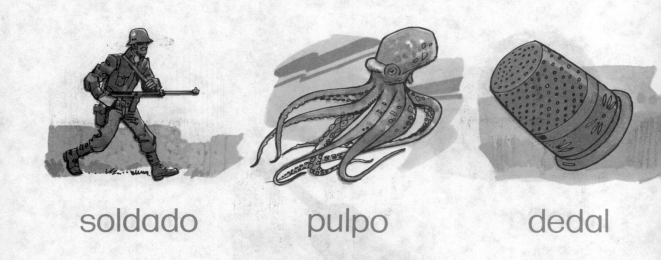

soldado   pulpo   dedal

al   **ul**   **el**   **il**   **ol**

caldo   polvo   barril   salsa

selva   soldado   pastel   mantel

culpa   pulpo   dedal   panal

A ese soldado le falta su fusil.

La abeja recoge almíbar y lo lleva a su panal.

Sin culpa derramé la salsa.

Mi hermano salta fácil la cerca.

Este pastel está dulce.

56

piano

reina

viejo

diamante   aceite   siete   familia

anciano   peine   hierro   palacio

viajero   fiera   nieve   geranio

La reina vive en un palacio.

Una fiera atacó al viajero.

Mi familia tiene un piano nuevo.

El aceite de maní es bueno.

El diamante y el hierro son caros.

57

maíz

lápiz

arroz

| ez | uz | az | iz | oz |

izquierda   arroz   capaz   pez

tizne   voz   llovizna   luz

nariz   coz   timidez   lápiz

Carlos tiene su cara pintada de tizne.

Me gusta comer arroz.

Mi burrito rebuzna por la mañana.

Tengo un lápiz verde.

Mi hermano tiene una bonita voz.

campana

lámpara

embudo

em **um** **am** **om** **im**

campo   bambú   marimba

campesino   tambora   estampa

bombero   combate   tumba

Mañana iré al campo.

El soldado va al combate.

El bombero apaga un fuego.

Me gusta tocar el tambor.

La campana toca al amanecer.

59

buey

rey

ley

ey   uy   ay   oy

rey	ley	hay
hoy	estoy	muy
buey	soy	carey

Soy un niño bueno.

El buey ara el campo.

En la capilla hay misa hoy.

El rey tiene un palacio bonito.

Estoy muy contento en mi escuela.

60

xilófono

taxi

| xi | xe | xo | xa | xu |

examen   texto   óxido

oxígeno   excusa   tórax

maxilar   ónix   sexto

Mañana haré un viaje en taxi.

El maxilar es un hueso.

El médico me examina el tórax.

El hierro se oxida rápido.

Yo estudio en mi texto.

61

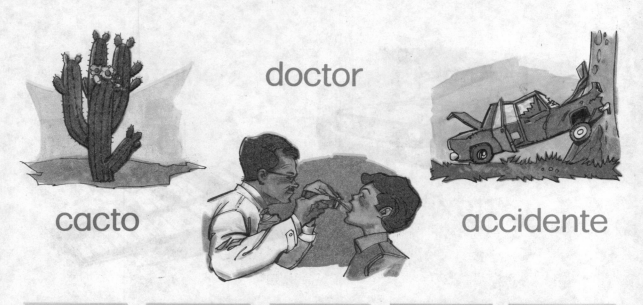

doctor

cacto

accidente

oc **ac** **ec** **ic** **uc**

doctor   acción   inyección

lectura   infección   diccionario

pacto   director   accidente

El doctor me curó una infección.

Me gusta mucho la lectura.

La suma me dió exacta.

El director escucha mi excusa.

Cuida tu diccionario, no lo dañes.

pluma

plato

playa

| pla | plu | plo | pli | ple |

plaza   pliego   playa

plomo   planeta   templo

pluma   placa   pleno

Vamos de paseo a la plaza.

Las plumas son el vestido de las aves.

Jugamos balón en la arena de la playa.

Todos respetamos el templo.

La tierra es un planeta.

clavel

clavo

bicicleta

cla   **cli**   **clo**   **cle**   **clu**

clavo	recluta	chicle
clima	bicicleta	cloro
clase	esclavo	tecla

El recluta toca el clarín.

Coloca ese clavo en el muro.

Fuimos a la plaza en bicicleta.

Marinero, recoge el ancla de tu barca.

Esos claveles adornan la clase.

64

sable

pueblo

tabla

ble blu blo bli bla

sable   blusa   mueble

pueblo   público   niebla

tabla   cable   roble

Tengo un sable de juguete.

Ese mueble es de roble.

Pablo es muy amable.

La niebla tapa la montaña.

Que lindo es mi pueblo.

globo

iglesia

regla

| glo | gli | gla | gle | glu |

gloria

gladiolo

glotón

regla

siglo

reglita

glucosa

iglesia

globo

Eleva tu globo blanco.

Ese glotón reclama mas dulces.

Mide esa tabla con tu regla.

El domingo iré a la iglesia.

Ese campesino vende gladiolos.

66

flaco   flecha   florero

fle   **flu**   **fla**   **fli**   **flo**

flaco   florecita   fleco

florero   rifle   flotador

flecha   flota   reflejo

Dame ese florero con gladiolos.

La flecha sube al cielo.

El flotador me ayuda a nadar.

Mi burrito está flaco.

Mira esa flota de buques.

EL AMANECER

Ya amanece, aclara el día,
sopla un viento helado.

El sol como un inmenso
globo se levanta y aparta la niebla.

Un gallo parado en un viejo cerco
de tablas canta con voz
de clarín, despertando
todo el pueblo.

Repican las campanas de la iglesita
llamando a misa.

Dios en su gloria ha hecho
florecer un nuevo día.

preso

prado

represa

| pre | pro | pru | pra | pri |

primo   problema   sorpresa

precio   profesor   capricho

prado   primero   promesa

Yo cumplo todas las promesas.

Mi primo es flaco y alto.

Tu profesor te prepara para la vida.

Reclama primero tu premio.

La lluvia colmó la represa.

potro

trompo

trigo

| tre | tro | tru | tra | tri |

tribu   retrato   litro

truco   cuatro   trineo

trapo   sastre   estrella

Mi potro saltó la cerca.

El sastre hace trajes.

Compra un litro de leche.

Papá me trajo un trompo bonito.

Una estrella guió a los Reyes Magos.

grillo

gruta

tigre

gra **gri** **gro** **gre** **gru**

grupo	gruta	vinagre
grasa	sagrado	peligro
gripa	cangrejo	fotógrafo
granero	agricultor	sangre

El tigre es un animal feroz.

Ese agricultor cultiva trigo.

Encontré un cangrejo en la laguna.

La iglesia es un lugar sagrado.

71

cuadro

dragón

cocodrilo

| dra | dru | dri | dre | dro |

drama   madrina   taladro

droga   cuadrúpedo   piedra

padre   ladrillo   cuadro

El taladro rompe la piedra.

Vimos un drama en el teatro.

Ese cuadro lo pintó mi padre.

Mi madrina regresa mañana.

Pedro madruga a su trabajo.

recreo   cráneo   crucifijo

| cre | cru | cro | cri | cra |

crema   crucifijo   credo

crudo   crónica   escritura

cromo   cráter   microbio

Ya escribo muy claro.

El agua cruda tiene microbios.

Pronto saldremos a recreo.

En la misa rezamos el credo.

Me agrada la crema de leche.

bruja

brocha

brazo

| bra | bri | bru | bro | bre |

brazo	sobrino	libro
broche	sombrero	cabra
breva	fábrica	sobre
brisa	sembrado	brújula

La brisa mueve mi sombrero.

A mi abrigo le falta un broche.

Mi sobrino tiene una cabra.

Ese pobre hombre pide limosna.

fresa

fruta

cofre

| fre | fru | fro | fri | fra |

franela   frituras   frase

frutero   fragua   azufre

freno   cofre   fresa

El herrero trabaja en la fragua.

Mi madre hace desayuno de frituras.

Pinta ese cofre con tu brocha.

Qué ricas son las frutas.

Te vendo una franela nueva.

75

LECTURA

Abracadabra, pata de cabra.
La cabra brava
de barba larga
se encabritaba.
Está encabritada.
Con tu lengüita,
desencabrítala.

Anónimo

Compadre, cómprame un coco.
Compadre, no compro coco,
porque como poco coco como
poco coco compro.

Anónimo

Unica, dosica,
tresica, cuatrana
color de manzana,
el burro y la te,
y la burra y la be,
y el asno tobé
contigo son diez

Anónimo

MI COMETA

Hoy llevé mi cometa de colores al campo.

El viento soplaba poco y mi cometa no subía.

Llamé entonces al viento y ella subió y subió, se hizo pequeñita.

Jugaba al escondite conmigo entre las nubes y alegre movía su cola de trapo.

¡Qué contentos nos sentíamos los dos!

Al fin el viento se cansó de soplar y con mi cometa regresé a casa.

DULCE NOMBRE

Las blandas boquitas
que aprenden a hablar,
mimosas, suaves
gorjean: mamá.

Y, torpes, las manos
que no saben más,
aprietan el lápiz
y escriben: mamá.

Después cuando empiezan
a deletrear
también su palabra
primera es: mamá.

Con tu dulce nombre
he aprendido a hablar,
leer y escribir,
Oh, mamá, mamá...

Germán Berdiales
(argentino)

78

LOS POLLITOS

Como en la clase,
como en la escuela
parecen niños
con la maestra.

Va la gallina con los pollitos;
son tan redondos, tan redonditos,
tan afelpados; tan amarillos
como las flores del espinillos.

Todos la miran y picotean
luego se esparcen listos y alegres;
mas si los llama la madre, acuden
como los niños más obedientes.

Fernán Silva (uruguayo)

LA BANDERA

La bandera de mi patria colombiana tiene tres colores:

Amarillo de trigales, de girasoles en flor.

Azul de tranquilas tardes y

Rojo sangre, de valor, trabajo, amor.

EL ESCUDO

¡Que hermoso es el escudo colombiano! El lleva símbolos de nuestra riqueza:

Dos cuernos de la abundancia, que significan la riqueza de nuestros campos.

Un gorrito rojo, que representa nuestro amor a la libertad.

Y el istmo de Panamá con dos barquitos, que significan la riqueza de nuestros dos océanos.

Y en la parte superior, un cóndor que lleva en su pico una corona de laurel y en sus garras un letrero que dice: "Libertad y Orden".

¡Me siento orgulloso de ser colombiano!

LA NOCHE

Cuando llega la noche, me encanta contemplar el cielo.

Trato de contar las estrellas, pero son tantas y tantas que pierdo la cuenta.

Parecen botones en el chaleco del cielo.

Y cuando asoma la luna su cara sonriente tras las montañas, salto de alegría tratando de alcanzarla.

¡Qué bueno es Dios, qué sabio, qué cosas tan hermosas ha creado!

EL ASEO DIARIO

¡Huy! qué rica está el agua, qué lindas pompas hace el jabón.

Todos los días me baño, por eso estoy sano.

Diario cepillo mis dientes, muy blancos están.

Al sentarme a la mesa, antes de comer, me lavo las manos con agua y jabón.

Al pasar todos dicen:¡qué sano está, qué limpio se vé !

MI ESCUELA

¡Qué alegre es mi escuela! Allí todos los días aprendo nuevas cosas.

Al llegar la hora del recreo, juego con mis amigos.

Me gustan las clases; los maestros son pacientes y amables.

¡Que viva mi escuela! Mi segundo hogar.

20 DE JULIO

Hoy es día de fiesta, en las calles hay banderas, música, desfiles.

Celebramos el cumpleaños de Colombia. En un día como éste nos declaramos independientes, por eso estamos tan contentos. Estudiando haré más grande a mi patria.

MIS DEDITOS

Tengo en mi mano
cinco deditos,
muy son rosados,
muy aseaditos.

El más pequeño
es el meñique,
después le sigue
el anular;

Luego está el medio
después el índice
que es el que sirve
para indicar.

Y el más gordito
es el pulgar.
Meñique, anular,
índice, medio y pulgar.

Alfredo Jácome

EL CAMPESINO

Apenas sale el sol cuando el campesino sale a su parcela. Lleva su azadón y al cinto su machete. Con cariño riega sus sembrados y quita la maleza de los surcos.

Campesino de mi patria, te agradezco, porque con tu trabajo haces que cada día tengamos ricos alimentos.

Dame tu mano campesino: ¡Estoy orgulloso de tí!

EL ARBOLITO

Hoy sembré un arbolito.

Todos los días le llevaré agua para que beba y no se muera de sed.

Con mis manos quitaré la maleza para que crezca hasta el cielo. Cuando esté grande, los pájaros harán sus nidos en sus ramas y lo alegrarán con su canto.

Yo descansaré a su sombra y recordará los días en que pequeño y débil era todavía.

Los árboles son útiles, yo los quiero y cuido con amor.

DOÑA SEMANA

Doña semana
tiene siete hiiitos:
la mitad son blancos,
la mitad negritos,
cantando los llama de
principio a fin:
lunes, martes, miércoles tres,
jueves, viernes, sábado seis.

No llama a domingo,
porque no trabaja y es un bailarín.

Anónimo.

NAVIDAD

La Navidad es la época más hermosa del año. En ella todos nos sentimos alegres y contentos, porque celebramos el más grande milagro de amor: ¡Todo un Dios hecho hombre para salvarnos!

Para recordar este hecho, hacemos el pesebre con musgo y flores, pequeños caminitos de aserrín y casitas de cartón y un Niño Jesús, que en compañía de María y José, desde su cuna nos sonríe y tiende sus manos.

Reunidos, cantemos hermosos villancicos y ofrezcamos nuestro corazón al Divino Niño.

EL RENACUAJO PASEADOR

El hijo de Rana, Rinrín Renacuajo,
salió esta mañana muy tieso y muy majo
con pantalón corto, y corbata a la moda,
sombrero encintado y chupa de boda.
«¡Muchacho, no salgas!» le grita mamá,
pero él le hace un gesto y orondo se va

Halló en el camino a un ratón vecino,
y le dijo: «¡Amigo! venga usted conmigo
visitemos juntos a doña Ratona
y habrá francachela y habrá comilona».

A poco llegaron, y avanza Ratón,
estírase el cuello, coge el aldabón.
da dos o tres golpes, preguntan: «¿Quién es?».
«Yo, doña Ratona, beso a usted los pies».

«¿Está usted en casa? —«Sí, señor, sí estoy;
y celebro mucho ver a ustedes hoy;
estaba en mi oficio, hilando algodón,
pero eso no importa; bien venidos son».

Se hicieron la venia, se dieron la mano,
y dice Ratico, que es más veterano:
«Mi amigo el de verde rabia de calor,
démele cerveza, hágame el favor».

Y en tanto que el pillo consume la jarra
mandó la señora traer la guitarra
y a Renacuajito le pide que cante
versitos alegres, tonada elegante.

—«¡Ay!, de mil amores lo hiciera, señora,
pero es imposible darle gusto ahora,
que tengo el gaznate más seco que estopa,
y me aprieta mucho esta nueva ropa».

—«Lo siento infinito, responde tía Rata,
aflójese un poco chaleco y corbata,
y yo mientras tanto les voy a cantar
una cancioncita muy particular».

Mas estando es esta brillante función
de baile y cerveza, guitarra y canción
la gata y sus gatos salvan el umbral,
y vuélvese aquello el juicio final.

Doña Gata vieja trinchó por la oreja
al niño Ratico maullándole: «¡Hola!»,
y los niños gatos a la vieja rata,
uno por la pata y otro por la cola.

Don Renacuajito mirando este asalto
tomó su sombrero, dio un tremendo salto,
y abriendo la puerta con mano y narices,
se fue dando a todos «noches muy felices».

Y siguió saltando tan alto y aprisa,
que perdió el sombrero, rasgó la camisa,
se coló en la boca de un pato tragón
y éste se lo embucha de un solo estirón.

Y así concluyeron, uno, dos y tres,
Ratón y Ratona, y el Rana después;
los gatos comieron y el pato cenó,
¡y mamá Ranita solita quedó!

Rafael Pombo